Éditorial :
Isabelle Péhourticq

Conception graphique :
Guillaume Berga

Maquette :
Natacha Kotlarevsky

© Actes Sud, 2007
ISBN 978-2-7427-6428-0

*Loi 49-956 du 16 juillet 1949
sur les publications destinées à la jeunesse*

Comptines
de ma mère l'oie

Mother Goose
the old nursery rhymes

Chantées par Susie Morgenstern
et Isa Fleur

Illustrées par Arthur Rackham
Traduction et notes : Françoise Morvan

ACTES SUD JUNIOR

˜ C'est lors d'un séjour en Cornouailles avec ma fille Elen, toute petite encore, que j'ai découvert les chansons anglaises pour enfants choisies et illustrées par Arthur Rackham : ce livre, objet d'une grande passion, nous a accompagnées pendant tout notre séjour et ne nous a plus jamais quittées.

De là est venue l'idée de faire des chansons françaises de ces chansons anglaises. Ces premières chansons, à leur tour, nous ont accompagnées bien longtemps avant que le désir de faire partager cette passion pour l'admirable illustrateur que fut Arthur Rackham (1867-1939) ne me donne envie de publier ce recueil de chansons, de comptines, de devinettes et de proverbes qui forment le fonds de la culture enfantine anglaise.

Précisons d'abord qu'il n'a malheureusement pas été possible de le publier dans son intégralité : environ la moitié des chansons y figurent, avec les illustrations qui les accompagnent – certaines comptant au nombre des illustrations les plus célèbres d'Arthur Rackham.

Précisons ensuite que le terme de "comptines" adopté pour le titre est pris au sens de "chansons pour enfants" au sens le plus large. Les *nursery rhymes* sont parfois des rondes, parfois des chansons à jouer ou à mimer : on trouvera en note quelques explications sur les gestes d'accompagnement qui permettront aux enfants de mimer ces chansons en français et en anglais.

Enfin, faire une chanson d'une chanson n'est pas faire un mot à mot. La transposition amène parfois à quelques modifications, même si le thème est suivi d'aussi près que possible. L'important est d'offrir aux enfants le plaisir de jouer à rebondir d'une langue à l'autre. Ce n'est pas un exercice courant dans la tradition française mais je suis bien reconnaissante à Arthur Rackham et à une hardie petite pionnière de cinq ans de m'avoir donné l'envie de risquer cette expérience de linguistique amusante : qu'elle leur soit donc dédiée.

Françoise Morvan

Quand Thierry Magnier, directeur d'Actes Sud Junior, m'a demandé si je voulais chanter les comptines de *Mother Goose*, j'étais au septième ciel. Ces comptines m'ont accompagnée tout au long de ma vie. En plus, j'adore aller où la vie m'amène. J'avais accepté l'année dernière de jouer sur scène mon livre *Confession d'une grosse patate*. Thierry Magnier est venu voir le spectacle dans lequel je chantais.

Voilà la raison pour laquelle tout d'un coup, un écrivain chante ! Mais rien n'est impossible quand on côtoie ces comptines. Je suis peut-être écrivain grâce à ces paroles qui ont hanté ma jeunesse et qui ont musclé mon imaginaire, car si *"the cow jumped over the moon"* ("la vache saute au ciel") et si *"the dish ran away with the spoon"* ("la cuiller file avec le grand plat"), comme vous le verrez en écoutant et en lisant les comptines, tout peut arriver.

Il y avait des paroles pour chaque occasion. On tombait et quelqu'un chantait *"Jack fell down and broke his crown"* ("Jack déboule et se casse une côte"). Si on se blessait c'était *"Humpty Dumpty sat on the wall, Humpty Dumpty had a great fall"* ("Toumboudoum assis sur un mur / Toumboudoum se casse la figure). Il y avait pour chaque action répétitive l'éternel *"Here we go round the Mulberry Bush"* ("Dansons autour du mûrier blanc").

Ces comptines sont immergées de non-sens, de menaces, de punitions, de peurs, de sexe et d'interdictions autant que de délices, de surprises et de bonheur. Et cette potion magique de mots qui va directement sous l'épiderme aux coins obscurs du cerveau m'a appris qu'après tout, rien n'est tellement grave puisque sur un air de berceuse tranquille sur lequel bébé dort, on sait que le vent pourrait se lever, la branche pourrait craquer et notre pauvre gros bébé pourrait tomber à tout moment. On sait aussi qu'un macho comme Georgie Porgie qui "pince les filles et les embrasse" se "dégonfle" dès qu'elles sont nombreuses. On nous dit que si tu es entre "tout en haut" et "tout en bas" tu n'es ni en haut, ni en bas. Il faut peut-être décider où tu veux être dans la vie. Il y a des exégèses et des explications historiques, politiques, psychologiques et sociologiques à ces comptines, mais il s'agit surtout de pur plaisir et de la grâce des mots qui rebondissent, culbutent, dansent, sautent et nous donnent de l'énergie.

Pour la première fois en français dans l'excellente traduction de Françoise Morvan, avec la musique de Louis Dunoyer de Segonzac qui donne une nouvelle vie à des mélodies antiques, ces trésors des chansons traditionnelles anglaises peuvent arriver aux cœurs en France tout comme les *"four and twenty blackbirds baked in a pie / When the pie was opened the birds began to sing / Wasn't that a dainty dish to set before the king ?"* ("Quatre et vingt gros hiboux dans un pâté doré / On ouvre le pâté, tous les hiboux hululent / O merveille à porter à notre bon roi Théodule").

Laissez-vous donc emporter !

Susie Morgenstern

Sing a song of sixpence
A pocket full of rye;
Four and twenty blackbirds
Baked in a pie;

When the pie was open'd,
The birds began to sing;
Was not that a dainty dish
To set before the king?

The king was in his counting-house
Couting out his money;
The queen was in the parlour
Eating bread and honey;

The maid was in the garden
Hanging out the clothes,
There came a little blackbird,
And snapped off her nose.

Une chanson à six sous,
Un tout petit sac de blé,
Quatre et vingt gros hiboux
Dans un pâté doré.

On ouvre le pâté :
Tous les hiboux ululent !
Ô merveille à porter
À notre bon roi Théodule !

Le roi à son comptoir
Comptait ses petits sous,
La reine en son boudoir
Mangeait ses petits choux.

La bonne au vent frivole
Met le linge à sécher.
Un gros hibou s'envole
Et, hop, il lui emporte le nez.

Hush-a-bye, baby, on the tree top;
When the wind blows, the cradle will rock;
When the bough breaks, the cradle will fall;
And down will come baby, cradle, and all.

Dors là-haut, bébé, dans le grand lilas ;
Si le vent se lève, il te bercera ;
Si la branche craque, on verra tomber
Le berceau, la branche et mon gros bébé.

Jack and Jill went up the hill
To fetch a pail of water;
Jack fell down and broke his crown
And Jill came tumbling after.

Then up Jack got and home did trot
As fast as he could caper;
And went to bed to mend his head
With vinegar and brown paper.

Jack et Jill montaient la côte
Avec un grand seau d'eau de pluie ;
Jack déboule et se casse une côte
Et Jill culbute après lui.

Jack se relève et file au lit
En tricotant des gambettes ;
Avec de l'huile et du papier gris
Il s'est recollé la tête[1].

Georgie Porgie, pudding and pie,
Kissed the girls and made them cry;
When the girls begin to play,
Georgie Porgie runs away.

Georgie Porgie, quiche et fougasse,
Pince les filles et les embrasse ;
Si les filles se mettent à jouer
Georgie Porgie file se cacher.

Hickory, dickory, dock,
The mouse ran up the clock;
The clock struck one;
The mouse ran down;
Hickory, dickory, dock.

Bimbamboum, timbamboum, bulle,
Le rat dans la pendule ;
Ding, dong, midi : il est parti,
Bimbamboum, timbamboum, bulle.

Here we go round the mulberry bush,
  The mulberry bush, the mulberry bush,
  Here we go round the mulberry bush,
    On a cold and frosty morning.

Dansons autour du mûrier blanc,
  Du mûrier blanc, du mûrier blanc,
  Dansons autour du mûrier blanc,
    Par un beau matin clair et froid.

This is the way we wash our hands,
We wash our hands, we wash our hands,
This is the way we wash our hands,
On a cold and frosty morning.

Voyez, nous nous lavons les mains,
Lavons les mains, lavons les mains,
Voyez, nous nous lavons les mains,
Par un beau matin clair et froid.

[This is the way we wash our clothes,
We wash our clothes, we wash our clothes,
This is the way we wash our clothes,
On a cold and frosty morning.

Voyez, nous lavons nos habits,
Nos habits, nos habits,
Ça y est, nous lavons nos habits,
Par un beau matin clair et froid.]

This is the way we go to school,
We go to school, we go to school,
This is the way we go to school,
On a cold and frosty morning.

Voyez, nous partons pour l'école,
Pour l'école, oui pour l'école,
Voyez, nous partons pour l'école,
Par un beau matin clair et froid.

This is the way we come out of school,
Come out of school, come out of school,
This is the way we come out of school,
On a cold and frosty morning.

Voyez, nous sortons de l'école,
De l'école, oui de l'école,
Voyez, nous sortons de l'école,
Par un beau matin clair et froid[2].

Ding, dong, bell,
  Pussy's in the well!
  Who put her in?
  Little Tommy Green.
  Who pulled her out?
  Little Johnny Stout.
  What a naughty boy was that
  To drown poor pussy-cat,
  Who never did any harm,
But kill'd all the mice in his father's barn!

Ding ding dong,
  Mais où es-tu donc ?
  Miaou, je suis
  Tout au fond du puits.
  Qui t'y a mis ?
  C'est le gros Tommy.
  Voyez un peu l'affreux voyou :
  Aller noyer ce bon minou
  Dont le seul crime est d'avoir pris
Dans la grange du père de Tommy toutes les souris.

Little Miss Muffett
Sat on a tuffet,
Eating her curds and whey;
There came a great spider,
And sat down beside her,
And frightened Miss Muffett away.

Mam'zelle Mouffette
En robe à bouffettes
Buvait son chocolat;
Une grosse araignée
S'en vint la saluer
Et Mouffette, oh la la, détala[3].

Diddlety, diddlety, dumpty;
The cat ran up the plum-tree.
Half-a-crown
To fetch her down;
Diddlety, diddlety, dumpty.

Toumboudoum, toumboudoum, dié,
Le chat dans le prunier.
Trois écus d'or
À qui l'en sort,
Toumboudoum, toumboudoum, dié.

Ring-a-ring-a-roses,
A pocket full of posies,
Hush! Hush! Hush! Hush!
We all fall down.

Ring et ring et rose,
Un bouquet de passeroses.
Chut ! Chut ! Chut ! Chut !
Et dix de chute[4].

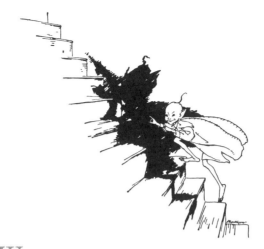

Wee Willie Winkie runs through the town
Upstairs and downstairs in his nightgown,
Rapping at the window, crying through the lock,
"Are the children in their beds, for now it's
eight o'clock?"

Oui, Willie Winkie court sans faire de bruit
Par toute la ville ici, en chemise de nuit.
Toc toc à la vitre, hou hou sous les clés :
« Les petits sont-ils au lit ?
Il est huit heures passées[5] ! »

There was an old woman who lived in a shoe;
She had so many children she didn't know what to do;
She gave them some broth without any bread,
And whipped them all soundly and put them to bed.

La vieille au nez crochu vivait dans un soulier ;
Elle avait tant d'enfants qu'elle en perdait partout.
Un croûton de pain sec, au lit, les écoliers,
Le fouet pour tout potage, et pour dessert itou.

Musique originale : Louis Dunoyer de Segonzac

Three blind mice,
Three blind mice,
See how they run!
See how they run!
They all ran after the farmer's wife,
Who cut off their tails with a carving-knife;
Did you ever see such fun in your life
As three blind mice?

Trois souris
Trois souris
Qui trottent menu !
Qui trottent menu !
Elles courent après la bonne grosse Sarah
Qui leur a coupé la queue à ras.
Jamais d'ma vie je n'ai autant ri
Que d'ces trois souris[6] !

A little cock-sparrow sat on a green tree,
And he chirruped, he chirruped, so merry was he;
A naughty boy came with his wee bow and arrow,
Determined to shoot this little cock-sparrow;

"This little cock-sparrow shall make me a stew,
And his giblets shall make me a little pie too;"
"Oh no," said the sparrow, "I won't make a stew;"
So he flapped his wings, and away he flew.

Un tout petit moineau dans un grand ormeau
Sifflait, sifflait, sifflotait, tout fiérot.
Un garnement vint, son arc sur le dos,
Bien décidé à tuer ce moineau.

"Ce petit moineau fera mon fricot,
Les tripes en pâté, le reste en gigot."
"Quoi ? dit le moineau, finir en fricot ?"
Il prit son envol et fila illico.

Hark, hark, the dogs do bark,
The beggars are coming to town
Some in rags, and some in tags,
And some in velvet gown.

Ouaf, ouaf, les chiens aboient,
Les mendiants vont au réveillon,
Tout en beaux habits de soie
Ou tout en vieux haillons.

Hey! diddle, diddle,
The cat and the fiddle!
The cow jumped over the moon;
The little dog laugh'd
To see such sport,
And the dish ran away with the spoon.

Hey ! dis donc, dis donc,
Le chat joue du violon !
La vache saute au ciel, hop là !
Le petit chien rit
De ces âneries
La cuiller file avec le grand plat[7].

I saw three ships come sailing by,
Come sailing by, come sailing by;
I saw three ships come sailing by,
On New Year's Day in the morning.

And what do you think was in them then,
Was in them then, was in them then?
And what do you think was in them then,
On New Year's Day in the morning?

Three pretty girls were in them then,
Were in them then, were in them then;
Three pretty girls were in them then,
On New Year's Day in the morning.

And one could whistle, and one could sing,
And one could play on the violin—
Such joy there was at my wedding,
On New Year's Day in the morning.

J'ai vu venir trois bateaux blancs,
Trois bateaux blancs, trois bateaux blancs,
J'ai vu venir trois bateaux blancs,
En ce matin du jour de l'an.

Savez-vous ce qu'il y avait dedans,
Y avait dedans, y avait dedans,
Savez-vous ce qu'il y avait dedans,
En ce matin du jour de l'an ?

Trois jolies filles étaient dedans,
Étaient dedans, étaient dedans,
Trois jolies filles étaient dedans
En ce matin du jour de l'an.

L'une chantant, l'autre sifflant,
L'autre jouant de l'olifant :
Ah ! je me suis marié gaiement
En ce matin du jour de l'an[8].

Little Tommy Tucker
Sang for his supper;
What shall we give him?
White bread and butter.
How shall he cut it,
Without a knife?
How shall he marry
Without a wife?

Tom le Dissipé
Réclame à souper.
On lui donne sur l'heure
Du pain et du beurre.
Comment le couper
Sans couteau ni lame ?
Comment se marier
Sans mari ni femme ?

P

Polly put the kettle on,
Polly put the kettle on,
Polly put the kettle on,
We'll all have tea.

Sukey take it off again,
Sukey take it off again,
Sukey take it off again,
They're all gone away.

Polly met l'eau à chauffer,
Polly met l'eau à chauffer,
Polly met l'eau à chauffer,
Pour faire du thé.

Souky prend l'eau sur le feu,
Souky prend l'eau sur le feu,
Souky prend l'eau sur le feu,
Tant pis, adieu[9].

Baa, baa, black sheep,
Have you any wool?
"Yes, sir, yes, sir,
Three bags full:
One for my master,
And one for my dame,
And one for the little boy
Who lives in the lane."

Bêê, bêê, mouton,
As-tu de la laine ?
"Oui donc, oui donc,
Trois malles pleines.
L'une pour Monsieur,
L'autre pour Madame,
Et l'autre pour le petit vieux
Qui vient d'Amsterdam".

The lion and the unicorn
Were fighting for the crown;
The lion beat the unicorn
All around the town.

Some gave them white bread,
And some gave them brown;
Some gave them plum-cake,
And drummed them out of town!

Le grand vieux lion et la licorne
Se battaient pour la gloire ;
Le vieux lion chassa la licorne
Par les rues jusqu'au soir.

Certains leur donnaient du pain blanc,
Et certains du pain noir ;
Certains leur ont donné du flan :
Vlan, allez vous faire voir[10] !

Little Polly Flinders
Sat among the cinders
Warming her pretty little toes.
Her mother came and caught her,
And whipped her little daughter
For spoiling her nice new clothes.

Paulette Alexandre,
Au beau milieu des cendres
Chauffait ses jolis petits pieds.
Pan, sa mère la calotte :
"C'est bien fait, petite sotte,
Tu as sali ton tablier."

Pussy-cat, pussy-cat, where have you been?
I've been up to London to look at the queen.
Pussy-cat, pussy-cat, what did you do there?
I frighten'd a little mouse under the chair.

Mon minou, mon minou, où es-tu parti ?
À Paris, à Paris, pour voir le roi Louis.
Mon minou, mon minou, qu'as-tu fait chez lui ?
J'ai chassé, j'ai chassé une petite souris.

There was an old woman called Nothing-at-all,
  Who rejoiced in a dwelling exceedingly small;
  A man stretched his mouth to its utmost extent,
  And down at one gulp house and old woman went.

Il était une vieille appelée Rien-du-tout.
Qui coulait d'heureux jours dans un tout petit trou
  Un homme ouvrit soudain une si vaste hure
  Qu'il engloutit d'un coup la vieille et sa masure.

I love sixpence, pretty little sixpence,
I love sixpence better than my life;
I spent a penny of it, I spent another,
And I took fourpence home to my wife.

Oh, my little fourpence, pretty little fourpence,
I love fourpence better than my life;
I spent a penny of it, I spent another,
And I took twopence home to my wife.

Oh, my little twopence, my pretty little twopence,
I love twopence better than my life;
I spent a penny of it, I spent another,
And I took nothing home to my wife.

Oh, my little nothing, pretty little nothing,
What will nothing buy for my wife?
I have nothing, I spend nothing,
I love nothing better than my wife.

Petit six sous, jolie pièce de six sous,
Petit six sous, je t'aime plus que mon âme ;
Je dépense un sou, deux sous, c'est bien tout,
Et j'ai quatre sous à porter à ma femme.

Petit quatre sous, jolie pièce de quatre sous,
Petit quatre sous, je t'aime plus que mon âme ;
Je dépense un sou, deux sous, c'est bien tout,
Et j'ai deux sous à porter à ma femme.

Petit deux sous, jolie pièce de deux sous
Petit deux sous, je t'aime plus que mon âme ;
Je dépense un sou, deux sous, c'est bien tout,
Je n'ai plus un sou à porter à ma femme.

Petit rien du tout, joli petit rien du tout,
Petit rien du tout, qu'apporter à ma femme ?
Je n'ai rien du tout, je n'achète rien du tout.
Mais ce que j'aime plus que tout, c'est ma femme.

Tom, Tom, the piper's son,
Stole a pig, and away he run!
The pig was eat, and Tom was beat,
And Tom went roaring down
the street.

Tom, Tom, le fils du sonneur,
Vole un cochon et détale dans l'heure !
Cochon grillé, Tom étrillé,
Court dans la rue pour mieux brailler[11].

Little Jack Horner,
Sat in a corner,
Eating a Christmas pie;
He put in his thumb,
And pulled out a plum,
And said, "What a good boy am I."

Jacquot Tête de Coing,
Assis dans un coin,
Mangeait son gâteau des rois.
Le doigt en anneau,
Il sort un pruneau
Et dit : "L'roi des bons gars, c'est moi !"

1. This little pig went to market;

1. Ce petit cochon alla au marché ;

2. This little pig stayed at home;

2. Ce petit cochon resta dans son coin ;

3. This little pig had roast beef;

3. Ce petit cochon eut du steak haché ;

4. And this little pig
had none;

4. Ce petit cochon, lui,
n'eut rien, rien, rien ;

5. And this little pig cried,
"Wee, wee, wee!"
all the way home.

5. Ce petit cochon pleura :
"Ouin, ouin, ouin !"
en rentrant du marché[12].

Lady bird, lady bird, fly away home:
Your house is on fire, your children are gone
All but one and her name is Ann,
And she has crept under the pudding-pan.

Coccinelle, coccinelle, ouvre tes ailes :
Le soleil t'appelle, il a soif, il a chaud.
Lève-toi, coccinelle, porte-lui un peu d'eau :
À l'autre bout du ciel ne coule aucun ruisseau[13].

Gay go up and gay go down,
To ring the bells of London town.

Orange and lemons,
Say the bells of St. Clement's.

Brickbats and tiles,
Say the bells of St. Gile's.

Halfpence and farthings,
Say the bells of St. Martin's.

Pancakes and fritters,
Say the bells of St. Peter's.

Two sticks and an apple,
Say the bells at Whitechapel.

Old Father Baldpate,
Say the slow bells at Aldgate.

You owe me ten shillings,
Say the bells at St. Helen's.

Pokers and tongs,
Say the bells at St. John's.

Allons donc à London
Sonner les bons bourdons.

Orange et citron blanc,
Disent les cloches de Saint-Clément.

Sacs de brique et d'argile,
Disent les cloches de Saint-Gilles.

Roupies et fifrelins
Disent les cloches de Saint-Martin.

Saladiers et soupières,
Disent les cloches de Saint-Pierre.

Pomme ou poire, ça se pèle,
Disent les cloches de Whitechapel.

Mais qui c'est donc qu'on guette ?
Disent les grosses cloches d'Aldgate.

Sonnons à perdre haleine,
Disent les cloches de Sainte-Hélène.

Les pigeons, ça pigeonne,
Disent les cloches de Saint-John.

Kettles and pans,
Say the bells at St. Ann's.

When will you pay me?
Say the bells at Old Bailey.

When I grow rich,
Say the bells at Shoreditch.

Pray when will that be?
Say the bells of Stepney.

I am sure I don't know,
Says the great bell at Bow.

Here comes a candle to light you to bed,
And here comes a chopper to chop off your head.
Last, last, last, last, last man's head!

Les corbeaux, ça vous tanne,
Disent les cloches de Sainte-Anne.

Payez-nous sans délai,
Disent les cloches du Vieux Bailey.

Non, quand nous serons riches,
Disent les cloches de Shoreditch.

En roupie de sansonnet,
Disent les cloches de Stepney.

Ce serait déjà beau,
Dit la grosse cloche de Bow.

Voilà une bougie, au lit, les petits loups,
Voilà un coupe-chou, qu'on vous coupe le cou,
Coup', coup', coup', coup', sur le coup[14] !

There was a crooked man,
and he went a crooked mile,
He found a crooked sixpence
against a crooked stile:
He bought a crooked cat,
which caught a crooked mouse,
And they all lived together
in a little crooked house.

C'était un petit vieux,
tout tordu et tout crochu.
Trouvant un sou tordu
sous un tronc tout crabichu.
Il prit un chat tordu
qui prit un rat tordu
Et tous trois vivaient là
dans leur petite maison tordue.

Humpty Dumpty sat on a wall;
Humpty Dumpty had a great fall;
All the king's horses, and all the king's men
Couldn't put Humpty together again.

Toumboudoum, assis sur un mur,
Toumboudoum se casse la figure ;
Tous les chevaux, les soldats du roi
Essaient en vain de le remettre droit[15].

There was an old woman
Lived under a hill,
And if she's not gone
She lives there still.

La petite vieille qui vit
Sous la colline du nord,
Si elle n'est pas partie
C'est qu'elle y est encore.

The fair maid who, the first of May,
Goes to the fields at break of day,
And washes in dew from the hawthorn tree,
Will ever after handsome be.

La belle qui, le premier mai,
Se lave à l'heure où le jour naît
Dans la rosée de l'aubépine
Sera toujours gracieuse et fine[16].

A frog he would a wooing go,
Heigho, says Rowley,
Whether his mother would let him or no,
With a rowley, powley, gammon and spinach,
Heigho, says Anthony Rowley!

So off he sets in his opera hat,
Heigho, says Rowley,
And on the road he met with a rat,
With a rowley, powley, gammon and spinach,
Heigho, says Anthony Rowley!

["Pray, Mr. Rat, will you go with me,"
Heigho, says Rowley,
"Kind Mrs. Mousey for to see?"
With a rowley, powley, gammon and spinach,
Heigho, says Anthony Rowley!]

When they came to the door of Mousey's Hall,
Heigho, says Rowley,
They gave a loud knock, and they gave a loud call.
With a rowley, powley, gammon and spinach,
Heigho, says Anthony Rowley!

Crapaud s'en va se chercher une fiancée,
Hey ho, dit Roulis,
Sans consulter sa maman adorée,
Tout en roulis, boulis, bobard, épinard,
Hey ho, dit Anthony Roulis.

Il sort avec son chapeau d'opéra,
Hey ho, dit Roulis,
Et en chemin il rencontre un gros rat,
Tout en roulis, boulis, bobard, épinard,
Hey ho, dit Anthony Roulis.

["Dites, Monsieur Rat, venez donc avec moi,"
Hey ho, dit Roulis,
"Chez Dame Souris : il faut que je la voie,"
Tout en roulis, boulis, bobard, épinard,
Hey ho, dit Anthony Roulis.]

Et quand ils furent devant Château-Souris,
Hey ho, dit Roulis,
Ils frappèrent à la porte et poussèrent un grand cri,
Tout en roulis, boulis, bobard, épinard,
Hey ho, dit Anthony Roulis !

["Pray, Mrs. Mouse, are you within?"
Heigho, says Rowley,
"Oh, yes, kind sirs, I'm sitting to spin."
With a rowley, powley, gammon and spinach,
Heigho, says Anthony Rowley!]

"Pray, Mrs. Mouse, will you give us some beer?"
Heigho, says Rowley,
"For Froggy and I are fond of good cheer."
With a rowley, powley, gammon and spinach,
Heigho, says Anthony Rowley!

["Pray, Mr. Frog, will you give us a song?"
Heigho, says Rowley,
"But let it be something that's not very long."
With a rowley, powley, gammon and spinach,
Heigho, says Anthony Rowley!]

But while they were all a merry-making,
Heigho, says Rowley,
A cat and her kittens came tumbling in.
With a rowley, powley, gammon and spinach,
Heigho, says Anthony Rowley.

["Dites, Dame Souris, êtes-vous au château ?"
Hey ho, dit Roulis,
"Mais oui, Messieurs, je faisais du tricot."
Tout en roulis, boulis, bobard, épinard,
Hey ho, dit Anthony Roulis.]

"Dame Souris, avez-vous de la bière ?"
Hey ho, dit Roulis,
"Nous buvons sec et faisons bonne chère,"
Tout en roulis, boulis, bobard, épinard,
Hey ho, dit Anthony Roulis.

["Monsieur Crapaud, chantez-nous donc un air,"
Hey ho, dit Roulis,
"Mais pas trop long, je vous prie, mon très cher,"
Tout en roulis, boulis, bobard, épinard,
Hey ho, dit Anthony Roulis.]

Comme ils chantaient et riaient sans façon,
Hey ho, dit Roulis,
Surgirent soudain une chatte et ses chatons,
Tout en roulis, boulis, bobard, épinard,
Hey ho, dit Anthony Roulis !

The cat she seized the rat by the crown;
Heigho, says Rowley,
The kittens they pulled the little mouse down.
With a rowley, powley, gammon and spinach,
Heigho, says Anthony Rowley.

This put Mr. Frog in a terrible fright,
Heigho, says Rowley,
He took up his hat, and wished them good night.
With a rowley, powley, gammon and spinach,
Heigho, says Anthony Rowley.

But as Froggy was crossing over a brook,
Heigho, says Rowley,
A lily-white duck came and swallowed him up.
With a rowley, powley, gammon and spinach,
Heigho, says Anthony Rowley.

Le chat attrape le rat par la cravate,
Hey ho, dit Roulis,
Les chatons prennent la souris par les pattes,
Tout en roulis, boulis, bobard, épinard,
Hey ho, dit Anthony Roulis !

Monsieur Crapaud, saisi d'une terreur noire,
Hey ho, dit Roulis,
Prend son chapeau et dit : "Sur ce, bonsoir."
Tout en roulis, boulis, bobard, épinard,
Hey ho, dit Anthony Roulis !

Mais comme il passait un ruisselet en crue,
Hey ho, dit Roulis,
Un canard blanc, gloup, l'engloutit tout cru,
Tout en roulis, boulis, bobard, épinard,
Hey ho, dit Anthony Roulis[17] !

I saw a ship a-sailing,
A-sailing on the sea;
And, oh! it was all laden
With pretty things for thee!

There were comfits in the cabin,
And apples in the hold,
The sails were all of satin,
And the masts were made of gold.

The four-and-twenty sailors
That stood between the decks,
Were four-and-twenty white mice
With chains around their necks.

The captain was a duck,
With a packet on his back;
And when the ship began to move,
The captain said,
"Quack! quack!"

J'ai vu sur l'océan
Voguer un grand bateau ;
Il portait dans ses flancs
Pour toi de beaux cadeaux.

Des dragées et des noix,
Des pommes à tribord.
Ses voiles étaient de soie
Et ses mâts étaient en or.

Quatre et vingt matelots
Debout près de la proue :
Quatre et vingt souriceaux,
Des chaînes autour du cou.

Le capitaine canard
Reste là dans son coin
Et quand le bateau part
C'est lui qui crie :
"Coin ! Coin !"

Girls and boys, come out to play;
The moon doth shine as bright as day;
Leave your supper, and leave your sleep,
And come with your playfellows into the street.
Come with a whoop, come with a call,
Come with a good will, or come not at all.
Up the ladder and down the wall,
A halfpenny roll will serve us all.
You find milk, and I'll find flour,
And we'll have a pudding in half an hour.

Garçons et filles, sortez jouer :
La lune est claire, sortez, venez.
Laissez la soupe, laissez le lit,
Venez jouer avec tous vos amis.
Criez youp là, criez hourra,
Venez joyeux ou bien ne venez pas.
Une échelle contre le mur :
Un petit pain nous suffira, c'est sûr.
Apporte du lait, j'aurai de la farine,
Un bon gâteau, c'est bien mieux qu'une tartine[18].

O, the grand old Duke of York,
He had ten thousand men;
He marched them up a great high hill,
And he marched them down again!
And when they were up, they were up,
And when they were down, they were down,
And when they were neither down nor up,
They were neither up nor down.

Ô, le noble, le bon duc d'York,
Il avait dix mille hommes ;
Il les faisait grimper comme un seul homme
Et redescendre tout comme !
Quand ils étaient en haut, tout en haut,
Ils étaient tout en haut,
Et quand ils étaient en bas, tout en bas,
Ils étaient tout en bas[19].

R

Dors tout doux, petit, ton lit est de laine ;
Ton père est noble homme et ta mère est reine ;
Babette est duchesse, bague en or au doigt ;
Jeannot est tambour, et joue pour le roi.

Hot cross buns!
Old woman runs!
One a penny, two a penny,
Hot cross buns!

If you have no daughters,
Give them to your sons.
One a penny, two a penny,
Hot cross buns!

Grosses brioches !
Trottent les galoches !
Deux pour un sou, trois pour un sou,
Grosses brioches !

Si vous n'avez pas de mioches
Achetez-les pour vous.
Deux pour un sou, trois pour un sou,
Grosses brioches[20] !

Old King Cole
Was a merry old soul,
And a merry old soul was he;
He called for his pipe,
And he called for his bowl,
And he called for his fiddlers three.

Now every fiddler, he had a fiddle,
And a very fine fiddle had he;
Tweedle dee, tweedle dee, went the fiddlers three.
Oh, there's none so rare,
As can compare
With King Cole and his fiddlers three!

Old King Cole
Was a merry old soul,
And a merry old soul was he ;
He called for his pipe,
And he called for his bowl,
And he called for his harpers three.

Le roi Pol
Était un bon guignol,
Un bon gui, un bon gnol de roi.
Trônant, la pipe au bec,
Il buvait, hop, cul sec,
Et mandait ses violons trois par trois.

Et chaque violon avait un très bon violon,
Un violon de tout premier choix,
Tiou, tiou, tiou, yon, yon, yon,
Ô spectacle rare,
Rien ne se compare
Au roi Pol et ses violons de roi !

Le roi Pol
Était un bon guignol,
Un bon gui, un bon gnol de roi.
Trônant, la pipe au bec,
Il buvait, hop, cul sec,
Et mandait ses harpistes trois par trois.

Now every harper he had a harp,
And a very fine harp had he;
Twang, twang, twang, went the harpers three,
Tweedle dee, tweedle dee went the fiddlers three.
Oh, there's none so rare,
As can compare
With King Cole and his harpers three!

[Old King Cole
Was a merry old soul,
And a merry old soul was he;
He called for his pipe,
And he called for his bowl,
And he called for his trumpeters three.

Now every trumpeter he had a trumpet,
And a very fine trumpet had he;
Tantara, tantara, went the trumpeters,
Twang, twang, twang, went the harpers,
Tweedle dee, tweedle dee went the fiddlers three.
Oh, there's none so rare,
As can compare
With King Cold and his trumpeters three!

Et chaque harpiste avait une très bonne harpe,
Une harpe de premier choix.
Dling, dling, dling, quel doux son !...
Tiou, tiou, tiou, quels violons !...
Ô spectacle rare,
Rien ne se compare
Au roi Pol et ses harpes de roi !

[Le roi Pol
Était un bon guignol,
Un bon gui, un bon gnol de roi.
Trônant, la pipe au bec,
Il buvait, hop, cul sec,
Et mandait ses trompettes trois par trois.

Et chaque trompette avait une bonne trompette,
Une trompette de tout premier choix.
Tra, ta, ta, quel basson !
Dling, dling, dling, quel doux son !
Tiou, tiou, tiou, quels violons !
Ô spectacle rare,
Rien ne se compare
Au roi Pol et ses trompettes de roi !

Old King Cold
Was a merry old soul,
And a merry old soul was he;
He called for his pipe,
And he called for his bowl,
And he called for his pipers three.

Now every piper he had a pipe,
And a very fine pipe had he;
Whew, whew, whew, went the pipers,
Tantara, tantara, went the trumpeters,
Twang, twang, twang, went the harpers,
Tweedle dee, tweedle dee went the fiddlers three.
Oh, there's none so rare,
As can compare
With King Cole and his pipers three!

Old King Cole
Was a merry old soul,
And a merry old soul was he;
He called for his pipe,
And he called for his bowl,
And he called for his fifers three.

Now every fifer he had a fife,
And a very fine fife had he,

Le roi Pol
Était un bon guignol,
Un bon gui, un bon gnol de roi.
Trônant, la pipe au bec,
Il buvait, hop, cul sec,
Et mandait ses sonneurs trois par trois.

Et chaque sonneur avait un bon biniou,
Un biniou de tout premier choix.
Miouh, miouh, miouh, ah, dansons !...
Tra, ta, ta, quel basson !...
Dling, dling, dling, quel doux son !...
Tiou, tiou, tiou, quels violons !...
Ô spectacle rare,
Rien ne se compare
Au roi Pol et ses sonneurs de roi !

Le roi Pol
Était un bon guignol,
Un bon gui, un bon gnol de roi.
Trônant, la pipe au bec,
Il buvait, hop, cul sec,
Et mandait ses fifres trois par trois.

Et chaque fifre avait un très bon fifre,
Un fifre de tout premier choix,

Tootle, tootle, toot, went the fifers,
Whew, whew, whew, went the pipers,
Tantara, tantara, went the trumpeters,
Twang, twang, twang, went the harpers,
Tweedle dee, tweedle dee went the fiddlers three.
Oh, there's none so rare,
As can compare
With King Cole and his fifers three!

Old King Cole
Was a merry old soul,
And a merry old soul was he;
He called for his pipe,
And he called for his bowl,
And he called for his drummers three.

Now every drummer he had a drum,
And a very fine drum had he;
Rub-a-dub-dub went the drummers,
Tootle, tootle, toot, went the fifers,
Whew, whew, whew, went the pipers,
Tantara, tantara, went the trumpeters,
Twang twang, twang, went the harpers,
Tweedle dee, tweedle dee went the fiddlers three.
Oh there's none so rare,
As can compare
With King Cole and his drummers three!]

Fiouh, fiouh, fiouh, fifrelons !
Miouh, miouh, miouh, ah, dansons !
Tra, ta, ta, quel basson !
Dling, dling, dling, quel doux son !
Tiou, tiou, tiou, quels violons !
Ô spectacle rare,
Rien ne se compare
Au roi Pol et ses fifres de roi !

Le roi Pol
Était un bon guignol,
Un bon gui, un bon gnol de roi.
Trônant, la pipe au bec,
Il buvait, hop, cul sec,
Et mandait ses tambours trois par trois.

Et chaque tambour avait un bon tambour,
Un tambour de tout premier choix,
Boum, boum, boum, tram, bedon !
Fiouh, fiouh, fiouh, fifrelons !
Miouh, miouh, miouh, ah, dansons !
Tra, ta, ta, quel basson !
Dling, dling, dling, quel doux son !
Tiou, tiou, tiou, quels violons !
Ô spectacle rare,
Rien ne se compare
Au roi Pol et ses tambours de roi[21] !]

As I was going to St. Ives,
I met a man with seven wives;
Each wife had seven sacks,
Each sack had seven cats,
Each cat had seven kits:
Kits, cats, sacks, and wives,
How many were going to St. Ives?

Un jour, allant à Nottingham,
J'ai croisé un homme et sept femmes;
Chacune avait sept sacs à pattes,
Chaque sac à pattes avait sept chattes,
Chaque chatte avait sept petits chats:
Combien de sacs, de chats, de femmes
Allaient alors à Nottingham[22] ?

TABLE DES MATIÈRES

NOTES

1. *Jack and Jill* est une chanson est identifiée dès 1765, mais est certainement beaucoup plus ancienne.

2. Il est possible de continuer ainsi en évoquant tout ce que les enfants peuvent faire. Le premier vers est repris après chacun des autres tandis que les enfants tournent dansent, indique Arthur Rackham. Cette chanson à mimer est une ronde : les enfants tournent autour d'un enfant qui figure le mûrier blanc.

3. Cette chanson, la plus fréquemment citée de nos jours dans les recueils de *nursery rhymes*, a été publiée pour la première fois en 1805.

4. L'une des chansons accompagnées d'un jeu de nourrice les plus connues : les enfants joignent les mains pour faire la ronde puis se laissent tomber ou s'accroupissent ensemble en chantant : "Dix de chute."

5. William Miller (1810-1872), l'auteur de cette chanson, est parti d'un air populaire et du premier vers d'une ancienne chanson évoquant le roi William III (1650-1702), surnommé Willie Winkie.

6. D'après Iona et Peter Opie, la ronde la plus célèbre du monde – une très ancienne ronde puisqu'elle est notée dès 1609 par Thomas Ravenscroft qui en est peut-être l'auteur.

7. Imprimée pour la première fois en 1765, cette chanson fantasque a fait couler des flots d'encre. Le chat et son violon sont une illustration précoce du *nonsense* qui allait connaître un grand succès dans tout le domaine anglais (avec Edward Lear et tant d'autres).

8. Il s'agit ici de la version pour enfants (la plus connue) d'une chanson de Noël traditionnelle notée dès 1666.

9. Une chanson mentionnée depuis la fin du XVIIIe siècle et devenue si célèbre que Dickens la fait chanter par Grip le corbeau dans *Barnaby Rudge*. C'est lui qui pour la première fois fait de Polly l'héroïne de la chanson : elle s'appelait jusqu'alors Jenny ou Molly.

10. Certains commentateurs voient dans cette chanson une allusion à l'union de l'Écosse (la licorne) et de l'Angleterre (le lion). On en retrouve trace dès 1691.

11. Les aventures de Tom, le fils du sonneur, ont fait l'objet d'un livre de colportage dérivant d'une version en vers du *Moine et l'enfant*, un conte dérivant lui-même du *Joueur de flûte de Hamelin*. Arthur Rackham a aussi retenu la version longue de la chanson mais nous n'en donnons que ce refrain, connu de tous en Angleterre.

12. Cette comptine se dit en jouant avec les mains ou les pieds du bébé : les quatre premiers vers se disent en tortillant un doigt du bébé, le dernier en lui chatouillant le creux du pied ou de la main comme si le petit cochon courait.

13. Cette très ancienne comptine se chante une coccinelle posée sur un doigt : lorsque l'enfant a fini de la chanter, la coccinelle ouvre générale-ment ses ailes et s'envole comme si elle avait entendu le message.

14. Cette chanson, célèbre entre toutes, se chante en accompagnement d'un jeu assez proche du jeu de "passe-passe-passera" (encore dit "le pont-levis") : les deux meneurs de jeu se consultent pour décider en secret lequel d'entre eux sera Orange ou Citron. Ils se pla-cent face à face et forment une arche en se donnant la main, puis commencent à chanter tandis que les enfants défilent sous l'arche. Quand la fin arrive avec le "qu'on vous coupe le cou" fatidique, les deux meneurs répètent "coup', coup', coup', coup'" et, à "sur le coup", baissent les bras de manière à emprisonner l'enfant qui se trouve pas-ser à ce moment-là. Ils le prennent à part et lui demandent de choisir Orange ou Citron (ou, aussi bien, Brique ou Argile, Roupie ou Fifrelin, Saladier ou Soupière, Pomme ou Poire). Le captif va se ranger derrière Orange ou derrière Citron, selon le choix qu'il a indiqué. À la fin du jeu, le clan des Oranges et le clan des Citrons s'affrontent de part et d'autre d'une ligne, chacun tirant de son côté, comme le montre l'illustration d'Arthur Rackham.

15. *Humpty Dumpty* est l'une des plus célèbres nursery rhymes (surtout depuis l'apparition de Humpty Dumpty comme personnage de Lewis Carroll). C'est aussi une devinette qui existait très anciennement en français : "Boule Boule su l'keyere / Boule Boule par terre / Y n'a nuz homme ein Angleterre/ Four l'erfaire." Autrement dit : "Boule Boule sur le tabouret / Boule Boule tombe par terre / Et il n'y a personne en Angleterre / Qui puisse le refaire." La réponse est, bien sûr : l'œuf.

16. Le 1er mai était célébré en Angleterre comme l'une des plus gran-des fêtes de l'année, la fête de la lumière. Les enfants tressaient des guir-landes, les jeunes gens dansaient autour de l'Arbre de Mai et l'on pensait qu'al-ler à l'aube tremper son visage dans la rosée pouvait vous donner la beauté. C'est cette croyance qui est ici joliment résumée.

17. Dès 1549 dans *The Complaynt of Scotlande*, on trouve trace d'une chan-son racontant l'étrange mariage du cra-paud et de la souris : si elle a évolué à travers les siècles, cette très ancienne chanson semble toujours avoir été aussi populaire en Angleterre, et, plus encore peut-être, aux États-Unis.

18. Cette jolie chanson est notée au début du XVIIIe siècle dans des livres de danses mais Iona et Peter Opie pensent qu'elle appartenait au répertoire enfan-tin dès le règne de la reine Anne (1665-1714) et qu'elle date du milieu du XVIIe siècle.

19. Cette chanson reste une énigme : pourquoi le duc d'York ? Le mystère reste entier, d'autant qu'une version primitive de la chanson indique *"O, the mighty King of France (or Duke of York)…"* laissant ainsi le choix à l'interprète. Il est donc tout à fait possible d'adapter la chanson en français en commençant par "Ô le noble roi de France".

20. À l'origine un cri de marchand des rues, devenu une chanson que les enfants chantaient le Vendredi saint (on servait alors au petit-déjeuner ces brioches à la cannelle appelées *hot cross buns*), puis une comptine qui se chante pour accompagner un jeu de nourrice bien connu en France aussi : chacun pose une main puis une autre à plat sur la main de ceux qui participent au jeu ; la main qui se trouve en bas de la pile vient se placer en haut, et ainsi de suite, jusqu'à ce que la chanson soit finie.

21. Une des chansons pour enfants anglaises les plus populaires et les plus anciennement reconnues comme telles : on la trouva dès 1776 notée sous une forme très proche de la forme connue par Arthur Rackham. Walter Scott, qui en trouve différentes versions en Écosse, s'efforce de voir surgir derrière le bon roi Pol la figure du géant Fyn Mc Coule pour donner figure ancestralement celtique à son héros mais ses arguments ne semblent pas convaincre tout le monde.

22. Il s'agit d'une très ancienne devinette mathématique mise sous forme de comptine. La réponse est : zéro, puisque l'homme et les sept femmes aux sept sacs contenant sept chattes et leurs sept chatons ne vont pas à Nottingham. On notera qu'Arthur Rackham s'est représenté lui-même en bas de l'image à gauche.

Reproduit et achevé d'imprimer en octobre 2007
par l'imprimerie Dumas-Titoulet à Saint-Etienne pour le compte des éditions ACTES SUD,
Le Méjan Place Nina-Berberova, 13200 Arles

Dépôt légal 1re édition : novembre 2007
N° imprimeur : 46046
(Imprimé en France)